DÓITEOIR NA SAMHNA

DARACH Ó SCOLAÍ

FIONN
Dóiteoir na Samhna

Dathadóireacht: Caomhán Ó Scolaí

An Chéad Eagrán 2009
© Leabhar Breac 2009

ISBN 978-0-898332-43-8

*Tá Leabhar Breac buíoch den Chomhairle um Oideachas
Gaeltachta agus Gaelscolaíochta as a gcúnamh sa tsraith Fionn*

Arna phriontáil ag Clódóirí Lurgan Tta,
Indreabhán, Co. na Gaillimhe

Nuair a bhí Conn Céadchathach ina ardrí ar Éirinn, thóg sé cúirt mhór ríoga ar chnoc na Teamhrach. Ba ann a thagadh na Gaeil chuige ag iarraidh a chomhairle. Ba ann, freisin, a bhí an bheirt ghaiscíoch ab fhearr sa tír, Aodh agus Cumhall. Chruinnigh an bheirt ghaiscíoch sin slua de na fir óga ba bhreátha in Éirinn don Ardrí, agus tugadh an Fhiann mar ainm orthu.

Ruaig an Fhiann gadaithe as na coillte dó, dhíbir siad bithiúnaigh as na sléibhte, agus chosain siad an cósta ar naimhde na nGael. Fad a bhí Aodh agus Cumhall i gceannas na Féinne bhí na Gaeil ar fud na hÉireann slán agus sásta.

Cé go raibh an tArdrí an-mhór le hAodh agus Cumhall, bhí fuath acu dá chéile, agus bhí sé ina throid i gcónaí eatarthu.

D'éirigh an t-easaontas níos measa agus, ar deireadh, shocraigh an tArdrí go gcaithfeadh sé duine acu a chur i gceannas ar an bhFiann, agus an duine eile a dhíbirt as Éirinn.

Roghnaigh an tArdrí Cumhall mar cheannaire ar an bhFiann, agus d'imigh Aodh leis go míshásta.

11

Chruinnigh Aodh le chéile a chuid cairde, agus tháinig sé ar ais le slua mór gaiscíoch chun ceannas na Féinne a bhaint de Chumhall.

Chruinnigh Cumhall a chuid gaiscíoch féin, agus tháinig an dá shlua in aghaidh a chéile ar bhruach abhainn na Life. Troideadh cath uafásach eatarthu. Chaith duine de mhuintir Chumhaill sleá le hAodh, agus bhain sé an tsúil as a cheann. Thóg Aodh a shleá féin agus mharaigh sé Cumhall léi. Nuair a chonaic a chairde go raibh Cumhall básaithe, chaill siad an misneach. Maraíodh na céadta díobh. D'éalaigh an méid a tháinig slán siar thar an Life. Bhí an bua ag Aodh.

Tháinig Aodh i gceannas ar an bhFiann ansin. Mar gur chaill sé a leathshúil sa chath, tugadh Goll mar ainm air as sin amach.

Bhí bean ag Cumhall, agus Muirne an t-ainm a bhí uirthi. Saolaíodh aon mhac amháin dóibh, agus thug siad Fionn mar ainm air.

Tar éis an chatha, tugadh scéala chuig Muirne go raibh Cumhall básaithe. Bhí Muirne croíbhriste. Bhí imní uirthi freisin. Bhí a fhios aici go gcloisfeadh Goll gur saolaíodh mac do Chumhall agus go dtiocfadh sé ina diaidh chun an mac a mharú.

Thug sí an leanbh léi, agus d'imigh sí i bhfolach sa choill.

Tháinig Goll go dtí an choill ag cuardach an linbh, agus b'éigean do Mhuirne éalú uaidh.

Bhí faitíos ar Mhuirne nach stopfadh Goll á leanúint go dtiocfadh sé ar an bpáiste agus go maródh sé é. Ar deireadh, shocraigh sí go gcaithfeadh sí scaradh leis an bpáiste.

Bhí deirfiúr ag Cumhall ina cónaí i Sliabh Bladhma, agus Bómall ab ainm di. Banghaiscíoch a bhí inti, agus bhí sí chomh maith ag troid le fear ar bith. Thug Muirne Fionn go Sliabh Bladhma, agus d'iarr sí ar Bhómall aire a thabhairt don pháiste di. D'fhág Muirne slán go brónach ag Fionn ansin, agus d'imigh sí léi.

D'fhoghlaim an páiste ó Bhómall cén chaoi le rith agus léim. Thug sí ag fiach agus ag seilg é, agus nuair a bhí sé seacht mbliana d'aois mhúin sí troid dó le claíomh agus le sleá.

Ar deireadh, tháinig an lá go gcaithfeadh Fionn aghaidh a thabhairt ar an saol mór. Thug Bómall clóca mór corcra dó, d'fhág sí slán leis, agus d'imigh sé leis de shiúl.

Tar éis cúpla lá a chaitheamh ar an mbóthar tháinig Fionn chomh fada le cúirt mhór an Ardrí i dTeamhair.

Oíche Shamhna a bhí ann, agus bhí maithe agus móra na tíre ag cruinniú ar an gcúirt le haghaidh Fheis na Teamhrach. Lean sé an slua isteach sa chúirt, agus chonaic sé an tArdrí ina shuí i measc na n-uaisle, ag ithe agus ag ól. Ach, bhí iontas ar Fhionn nach raibh ceol ná ceiliúradh le cloisteáil aige. D'fhiafraigh sé den doirseoir cén fáth go raibh an tArdrí agus a chuid uaisle chomh gruama.

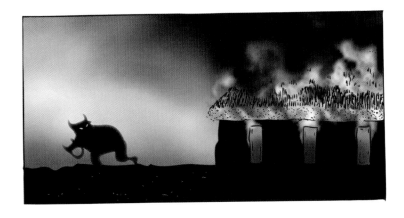

D'inis an doirseoir an scéal dó: 'Bliain amháin, nuair a bhí Feis na Teamhrach ar bun, tháinig fathach mór gránna go Teamhair san oíche. Chas sé ceol ar a thiompán draíochta agus chuir sé gach duine sa chúirt a chodladh. Chaith sé lasair thine as a bhéal ansin agus chuir sé an chúirt trí thine.

'Ailéan is ainm don fhathach seo, agus gach bliain ó shin, faoi Shamhain, tagann sé ag dó na Teamhrach. Rinne Goll agus Fiann Éireann gach iarracht é a stopadh, ach níor éirigh leo.

'Táimid faoi bhrón anseo anois mar go dtiocfaidh Ailéan chugainn anocht agus go ndófaidh sé an chúirt.'

Sheas Fionn i láthair an Ardrí ansin, agus d'fhógair sé go gcosnódh sé féin Teamhair ar Ailéan.

D'fhiafraigh an tArdrí de cérbh é féin, agus d'inis Fionn dó.

Bhí Goll ag an bhFeis. Nuair a chuala sé go raibh mac le Cumhall i dTeamhair d'éirigh sé ina sheasamh go feargach, ach ní ligfeadh an tArdrí dó lámh a leagan ar Fhionn.

'Fad is atá Feis na Teamhrach ar bun,' ar sé, 'níl cead troda ná easaontais sa chúirt seo.'

Labhair an tArdrí le Fionn ansin, agus dúirt, 'An té a chosnóidh Teamhair ar Ailéan gheobhaidh sé ceannas na Féinne uaimse.'

Leis sin, d'iarr Fionn sleá ó dhuine de mhuintir an Ardrí. Tugadh an tsleá dó, chas sé a chlóca mór corcra ina thimpeall, agus chuaigh sé amach sa dorchadas ag fanacht go dtiocfadh Ailéan.

25

Tar éis tamaill amuigh san oíche dhubh chuala Fionn ceol draíochta ag teacht chuige, agus d'airigh sé codladh ag teacht air. Nuair a thosaigh a shúile ag dúnadh le tuirse tháinig faitíos ar Fhionn go dtitfeadh sé ina chodladh, agus nach mbeadh sé in ann Teamhair a chosaint ar Ailéan. Thóg sé a shleá agus phrioc sé a leiceann le gob na sleá chun é féin a choinneáil ina dhúiseacht.

Ba ghearr go bhfaca sé fathach mór ag teacht ina threo sa dorchadas agus tiompán á chasadh aige. Faoin am ar bhain Ailéan Cnoc na Teamhrach amach bhí gach duine sa chúirt curtha a chodladh aige lena cheol draíochta, seachas Fionn amháin.

Nuair a tháinig Ailéan chomh fada le cúirt an Ardrí d'oscail sé a bhéal mór leathan, agus scaoil sé lasair dhearg thine amach. D'éirigh Fionn ina sheasamh, bhain sé de a chlóca, agus chaith sé in airde san aer é. Rug an clóca ar an lasair thine san aer agus mhúch sé í.

Nuair a chonaic Ailéan go raibh a thine múchta tháinig iontas air. Nuair a chonaic sé go raibh duine éigin ina dhúiseacht roimhe tháinig faitíos air. Nuair a chonaic sé an tsleá ina lámh ag an ngaiscíoch óg chas sé ar a chos agus d'imigh sé de rith ón gcúirt.

Lean Fionn Ailéan. D'imigh Ailéan roimhe san oíche agus Fionn ar a shála. Ar deireadh, ar bharr sléibhe, tháinig Ailéan chomh fada le lios sí. Osclaíodh doras an leasa dó agus chuaigh Ailéan isteach. Sular dúnadh an doras ina dhiaidh, thóg Fionn a shleá agus chaith sé le hAiléan í. Ligeadh béic sa lios nuair a bhuail sé Ailéan leis an tsleá.

Lena scian, ghearr Fionn an cloigeann den fhathach, agus thug sé leis é. Arís go brách ní thiocfadh Ailéan ag dó chúirt an Ardrí i dTeamhair.

Nuair a dhúisigh an tArdrí agus na huaisle bhí iontas orthu nach raibh an chúirt dóite ag Ailéan. D'éirigh siad agus bhreathnaigh siad amach, agus chonaic siad Fionn ag teacht ar ais chucu agus cloigeann an fhathaigh i ngreim aige.

Leag Fionn an cloigeann ar an urlár faoi chosa an Ardrí. Thóg an tArdrí lámh Ghoill, agus leag sé i lámh Fhinn í.

'Is agatsa, a Fhinn, a bheidh ceannas ar Fhiann Éireann feasta,' ar sé.

Chroith Goll lámh leis agus dúirt sé go mbeadh sé dílis dó. Agus sin mar a fuair Fionn mac Cumhaill ceannas ar ghaiscígh is ar laochra na Féinne.

Ar fáil freisin sa tsraith Fionn:

AN BRADÁN FEASA

Fadó, nuair a bhí cúirt ag Ardrí Éireann i dTeamhair, bhí buíon fear ag an Ardrí ar ar tugadh an Fhiann. Fir bhreátha láidre ab ea iad a choinnigh síocháin sa tír dó. Ba é Fionn mac Cumhaill an ceannaire ba cháiliúla a bhí ar an bhFiann.

Ach, ó bhí Fionn ina leanbh, bhí a chuid naimhde ag iarraidh é a mharú agus ceannas na Féinne a choinneáil dóibh féin. Chun é féin a chosaint ar na naimhde sin, mhúin an banghaiscíoch Bómall d'Fhionn cén chaoi le troid. Ach chun ceannas a fháil ar an bhFiann, chaithfeadh sé foghlaim le bheith níos stuama agus níos cliste ná duine ar bith eile beo.

Le teacht go luath sa tsraith Fionn:

BODACH AN CHÓTA LACHNA

Fadó, nuair a bhí cúirt ag Ardrí Éireann i dTeamhair, bhí buíon fear ag an Ardrí ar ar tugadh an Fhiann. Fir bhreátha láidre ab ea iad a choinnigh síocháin sa tír dó. Ba é Fionn mac Cumhaill an ceannaire ba cháiliúla a bhí ar an bhFiann.

Bhí Fionn ar Bhinn Éadair, lá, agus chonaic sé bád ag teacht i dtír. Léim gaiscíoch breá láidir amach ar an trá. Caol an Iarainn ab ainm dó, agus bhí sé tagtha ó Rí na Teasáile ag iarraidh chíos na hÉireann. Mura dtiocfadh Fionn ar dhuine éigin a bhuafadh ar Chaol an Iarainn i rás reatha, bheadh na Gaeil faoi smacht ag Rí na Teasáile go deo.

AN GIOLLA DEACAIR

Bhí Fionn agus Conán Maol ar Chnoc Áine, lá, nuair a tháinig fear mór gránna chucu ar chapall fada cnámhach.

Nuair a bhí an strainséir ag labhairt le Fionn, chuaigh an capall i measc chapaill na Féinne, agus thosaigh sí ag bualadh cos orthu agus ag baint plaiceanna astu. Chun an capall a smachtú, chuaigh Conán Maol in airde uirthi. Níor chorraigh an capall. Chuaigh gaiscígh na Féinne ar mhuin an chapaill, ina nduine is ina nduine, nó go raibh ceithre dhuine dhéag in airde uirthi. D'imigh an capall léi de rith ansin, siar i dtreo na farraige, na ceithre dhuine dhéag den Fhiann greamaithe di, agus Fionn á leanúint.

Le teacht go luath sa tsraith Fionn:

BRAN AGUS SCEOLÁN

Fadó, nuair a bhí cúirt ag Ardrí Éireann i dTeamhair, bhí buíon fear ag an Ardrí ar ar tugadh an Fhiann. Fir bhreátha láidre ab ea iad a choinnigh síocháin sa tír dó. Ba é Fionn mac Cumhaill a bhí ina cheannaire orthu.

Tháinig fear chuig Fionn, lá, agus scéala aige dó. Gach bliain le ceithre bliana, nuair a saolaíodh páiste dá bhean, thagadh fathach chuig an teach san oíche, chuireadh sé a lámh síos an simléar, agus sciobadh sé leis an páiste. An oíche sin, bhí a bhean ag súil leis an gcúigiú páiste, agus d'iarr an fear ar Fhionn teacht agus an leanbh a chosaint ar an bhfathach.

SÍ CHUILINN

Bhí Fionn ag fiach lena dhá chú, lá. Tháinig sé chomh fada le loch ar an sliabh, agus bean óg ag caoineadh ar bhruach an locha. D'inis sí d'Fhionn go raibh a fáinne óir tite sa loch. Léim Fionn isteach san uisce ag iarraidh an fháinne di.

Nuair a tháinig Fionn amach as an uisce leis an bhfáinne, rinneadh seanduine liath de. Níor aithin an dá chú é. Nuair a tháinig an Fhiann á chuardach, níor aithin siad é. Ní raibh tásc ná tuairisc ar an mbean óg.

An Cluiche Cláir
ARDRÍ

Sa chluiche cláir spleodrach lándaite seo d'óg agus aosta, caithfimid Fionn mac Cumhaill a thabhairt go cúirt an Ardrí i dTeamhair. Le cabhrú leis, tá an banghaiscíoch Bómall, Bodach an Chóta Lachna, an Bradán Feasa, Diarmaid ó Duibhne, agus cairde na Féinne. Ach tá a chuid naimhde ag fanacht linn freisin — Goll mac Morna, Conán Maol, an fathach Ailéan, an Giolla Deacair, ollphéisteanna, arrachtaigh, sluaite sí, agus go leor leor eile!